Cardiff Libraries
www.cardiff.gov.uk/libraries

CARDIFF
CAERDYDD
Llyfrgelloedd Caerdydd
www.caerdydd.gov.uk/llyfrgelloedd

Cadi Wyn

a'r

Ditectifs
Blewog

Diana Kimpton

Addasiad gan Eleri Huws

Lluniau gan Desideria Gucciardini

D0453200

Criw
Ynys y Cregyn

Mostyn

Cadi Wyn

Blodwen

Penri

Hadog

Bynsen

Siani

I Anton

Argraffiad cyntaf: 2015

ⓗ Gwasg Carreg Gwalch

Cyhoeddwyd gyntaf yn Saesneg, yng nghyfres *Amy Wild* gan Usborne

Cedwir pob hawl.
Ni chaniateir atgynhyrchu unrhyw ran o'r cyhoeddiad hwn na'i gadw mewn
cyfundrefn adferadwy, na'i drosglwyddo mewn unrhyw ddull na thrwy unrhyw
gyfrwng electronig, electrostatig, tâp magnetig, mecanyddol, ffotocopïo, recordio,
nac fel arall, heb ganiatâd ymlaen llaw gan y cyhoeddwyr, Gwasg Carreg Gwalch,
12 Iard yr Orsaf, Llanrwst, Dyffryn Conwy, Cymru LL26 0EH.

Rhif rhyngwladol: 978-1-84527-518-1

Mae'r cyhoeddwr yn cydnabod cefnogaeth ariannol
Cyngor Llyfrau Cymru

Cynllun clawr: Olwen Fowler

Cyhoeddwyd gan Wasg Carreg Gwalch,
12 Iard yr Orsaf, Llanrwst, Conwy, LL26 0EH.
Ffôn: 01492 642031 Ffacs: 01492 641502
e-bost: llyfrau@carreg-gwalch.com
lle ar y we: www.carreg-gwalch.com

PENNOD 1

"Beth yn y byd wyt ti'n wneud, Mam?" holodd Cadi Wyn, wrth gamu i mewn i'r gegin.

"Chwilio am fy modrwy," atebodd Mam yn bryderus. "Dwi'n cofio'i thynnu hi neithiwr wrth olchi'r llestri . . . ond nawr does dim golwg ohoni yn unman."

"Alla i ddim dod o hyd iddi chwaith," cyfarthodd Mostyn, y ci bach. Ond chlywodd Mam mohono, wrth gwrs. Dim ond Cadi oedd yn gallu deall beth roedd e'n ei ddweud.

Plygodd i lawr a chosi clustiau'r ci bach. "Wyt ti'n cofio ble roist ti'r fodrwy?" gofynnodd i Mam.

"Ar sil y ffenest, dwi bron yn siŵr, ond . . ."

"Gad i mi gael golwg," cynigiodd Cadi. "Mae fy llygaid i'n fwy siarp na dy rai di."

Plygodd Cadi dros y sinc a chwilota ymhlith y planhigion lliwgar ar sil y ffenest. "Rwyt ti'n iawn, Mam," meddai ymhen sbel. "Does dim golwg o'r fodrwy fan hyn. Tybed ydy Dad neu Bopa Gwen wedi'i symud?"

"Nac'dyn," atebodd Mam. "Dwi wedi gofyn iddyn nhw." Eisteddodd yn drwm

ar gadair a rhoi'i phen yn ei dwylo.
"Fyddwn i ddim yn poeni gyda'r rhan
fwya o bethe, ond fy modrwy
ddyweddïo ydy hi. Mae hi'n arbennig
iawn."

"Mae'n wir flin
'da fi," meddai
Cadi gan roi
cwtsh i'w mam.

*Fe fyddwn i'n
torri nghalon
petawn i'n colli'r
mwclis o
bawennau aur
roddodd Bopa Gwen i
mi*, meddyliodd. *Heb y mwclis hud,
fedrwn i ddim siarad â'r anifeiliaid, na
bod yn aelod o Griw Ynys y Cregyn
chwaith!*

"Mae'r fodrwy wedi diflannu am byth, mae arna i ofn," ochneidiodd Mam.

Yn sydyn, sylwodd Cadi ar y llenni'n symud yn yr awel. "Paid â digalonni eto, Mam," meddai. "Falle fod y llenni wedi taro'r fodrwy i mewn i'r sinc."

"O, na!" llefodd Mam gan neidio ar ei thraed. "Beth os yw hi wedi mynd i lawr y draen? Brysia – dos i alw ar Dad! Falle fydd e'n gallu cael gafael arni cyn ei bod yn rhy hwyr!"

Rhuthrodd Cadi o'r gegin, gan agor y drysau mawr ym mhen draw'r cyntedd a chamu i mewn i ran arall ei chartref – Caffi Cynnes. Roedd y lle'n brysur, pob bwrdd yn llawn, a'r stafell yn atseinio i sŵn lleisiau a llestri'n tincial.

Safai Dad y tu ôl i'r cownter, gyda
Bopa Gwen. "Dere, Dad!" crefodd Cadi
gan dynnu ar ei lawes. "Mae Mam am i
ti fynd i'r gegin ar unwaith. Mae hi'n
meddwl bod ei modrwy wedi mynd i
lawr y sinc!"

"O diar," meddai Dad gan roi ei liain
sychu llestri ar y cownter a chamu
drwy'r drysau mawr.

Dechreuodd Cadi ei ddilyn, ond yn
sydyn neidiodd ci defaid allan o dan un
o'r byrddau cyfagos a sefyll yn ei
ffordd.

"Wff, paid â mynd," cyfarthodd. "Mae
arna i angen help y criw."

Plygodd Cadi a mwytho'r ci, gan roi
ei phen yn agos ato rhag i neb arall ei
glywed. "Beth sy'n bod?" sibrydodd
wrtho.

Cyn i'r ci gael cyfle i ateb, cerddodd
hen wraig at y ddau a chlymu tennyn
ar goler y ci. "Bydd ddistaw, Barti,"
meddai, cyn troi at Cadi a dweud,
"dyw e ddim mor swnllyd â hyn fel
arfer."

"Peidiwch â phoeni, Mrs Tomos," atebodd Cadi. Roedd Magi Tomos, un o gwsmeriaid rheolaidd Caffi Cynnes, wastad yn hapus fel y gog. Ond heddiw, sylwodd Cadi fod golwg ddigalon arni. *Beth sy ar ei meddwl hi, tybed*, meddai Cadi wrthi'i hun.

"Galwa fi'n Magi," meddai'r hen wraig wrthi. "Dyna mae pawb arall yn fy ngalw, ac mae'n amlwg fod Barti'n dy hoffi di."

Syllodd y ci ar Cadi. "Mae'n rhaid i ni siarad," sibrydodd.

Roedd Cadi'n sylweddoli hynny – ond sut yn y byd y gallen nhw gael sgwrs heb dynnu sylw'r cwsmeriaid? Yn sydyn, cafodd syniad. Winciodd ar y ci defaid a dweud yn uchel, "Falle fod Barti wedi diflasu ar eistedd yn y caffi.

Beth am i mi fynd ag e am dro bach i'r ardd?"

"Syniad da," atebodd Magi Tomos gan estyn y tennyn i Cadi. "Ond paid â bod yn hir. Rhaid i mi fynd adre cyn gynted ag y bydda i wedi yfed fy mhaned."

"Dere, Barti!" galwodd Cadi, gan roi plwc ar y tennyn. Neidiodd y ci bach ar ei draed a dilyn Cadi'n ufudd i'r cyntedd.

Roedd Cadi ar fin agor y drws cefn pan redodd Mostyn o'r gegin. "Beth mae Barti'n ei wneud yma?" holodd.

"Mae e eisie gofyn i'r criw am help," atebodd Cadi.

"Grêt!" cyfarthodd Mostyn, gan ysgwyd ei gynffon. "Fe af i alw ar y lleill."

"Does dim amser," esboniodd Cadi. "Mae'n rhaid iddo fynd toc." Agorodd y drws, a cheisio arwain y ci defaid allan i'r ardd.

Ond safodd Barti'n stond ar stepen y drws a sniffio'r aer. Dechreuodd chwyrnu, a chododd y blew ar ei war. Yna neidiodd ymlaen gan gyfarth yn uchel, "Cath! Cath!"

Bu bron i Cadi gwympo ar ei hyd ar lawr wrth i'r tennyn yn ei llaw blycio'n sydyn. "Stopia!" gwaeddodd gan geisio tynnu Barti'n ôl, ond chymerodd y ci ddim sylw ohoni. Roedd e'n syllu ar y gath Siamîs oedd wedi cyrlio'n belen ar ganol y lawnt yn mwynhau gwres yr haul. "Cath! Cath!" cyfarthodd eto.

Neidiodd y gath mewn braw a rhuthro ar draws y lawnt. Rhedodd

Barti ar ei hôl, gan dynnu Cadi i'w ganlyn. "Stopia, wir!" sgrechiodd hithau. *Fiw i mi ollwng y tennyn,* meddai wrthi'i hun. *Mae Barti yn fy ngofal i, a dwi ddim eisie gorfod*

cyfadde wrth Magi Tomos bod y ci wedi dianc!

PENNOD 2

"Mi-AAW!" llefodd y gath gan wasgu o dan un o'r llwyni i geisio dianc rhag y ci. Ond doedd e ddim am roi'r gorau iddi mor hawdd â hynna. Neidiodd ar ei hôl, a doedd gan Cadi ddim dewis ond ei ddilyn!

Er bod Barti'n ddigon bychan i redeg dan ganghennau'r coed, doedd Cadi ddim. "Stop, Barti, stop!" llefodd wrth geisio osgoi cael ei chrafu a'i tharo. Cododd un fraich i arbed ei hwyneb, a chau ei llygaid yn dynn.

Yn sydyn, stopiodd Barti'n stond a bu bron i Cadi faglu drosto. Safai Barti ar ei draed ôl, ei bawennau blaen yn gorffwys ar foncyff hen goeden afalau, gan gyfarth yn uchel, "Cath! Cath!"

O rywle uwch ei ben daeth sŵn hisian uchel – a dyna lle'r oedd Siani, ei chefn yn grwm a'i chynffon yn syth i fyny. "Wyt ti'n iawn, Siani?" holodd Cadi.

"Ydw," cwynodd y gath, "ond dwi'n lwcus mod i'n fyw."

Trodd Cadi at Barti. "Ro'n i'n meddwl dy fod ti eisie i'r criw dy helpu di," meddai'n siarp.

"Ydw," atebodd Barti. "Ond pan dwi'n gweld cath, fedra i ddim

rhwystro fy hun rhag rhedeg ar ei hôl. Dyna mae cŵn yn ei wneud."

"Nage wir," cyfarthodd Mostyn, oedd newydd gyrraedd. "Yn enwedig os yw'r gath honno'n aelod o'r criw."

"Oes 'na gath yn aelod o'r criw?" holodd Barti mewn syndod.

"Oes, wrth gwrs," meddai Siani oddi ar y gangen. "Pedair ohonon ni, a bod yn fanwl – a dim ond un person."

"Cadi yw honno," esboniodd Mostyn.

"A dim ond un ci hefyd," ychwanegodd Siani'n ffroenuchel.

"Fi yw hwnnw!" cyfarthodd Mostyn, gan neidio i fyny ac i lawr yn gyffrous.

"A phaid ag anghofio am yr unig barot," meddai Siani.

"Ie, Penri," esboniodd Mostyn. "Dyw e ddim yn mynd allan rhyw lawer. Mae'n well ganddo fe aros yn y tŷ i wylio'r teledu."

"O diar," meddai Barti mewn llais bach trist. "Mae'n wir flin gen i. Do'n i ddim yn sylweddoli mod i'n rhedeg ar ôl rhywun mor bwysig. Ydych chi'n dal yn fodlon fy helpu i?"

"Wrth gwrs ein bod ni," meddai Cadi, gan eistedd yn ei ymyl a mwytho'i ben bach meddal. "On'd ydyn ni, Siani?"

"Hmm . . . ydyn, mae'n siŵr," atebodd Siani braidd yn anfodlon. "Beth yn union yw'r broblem, Barti?" holodd.

"Wel, mae 'na ddwy broblem mewn gwirionedd, ac maen nhw'n gwneud fy meistres i'n drist."

"Do, sylwais i fod golwg braidd yn ddiflas ar Magi Tomos heddiw," meddai Cadi. "Fel arfer, mae hi'n hapus fel y gog. Y tro diwetha i mi siarad â hi, roedd hi'n edrych mlaen at fynd i briodas un o'i hwyrion."

"Dyna ydy un o'r problemau,"

ochneidiodd Barti. "Bore fory mae'r briodas, ac mae Magi wedi bod yn edrych mlaen ati ers misoedd. Roedd hi wedi prynu ffrog newydd – a rhuban o'r un lliw i mi!"

"Rhuban? I ti?" meddai Mostyn gan biffian chwerthin.

"Paid â bod yn ddigywilydd," siarsiodd Cadi. Mwythodd ben Barti eto a dweud, "Fe fyddi di'n edrych yn smart iawn, dwi'n siŵr."

"O wel, sdim gwahaniaeth, achos dy'n ni ddim yn gallu mynd i'r briodas. Mae ffrind Magi'n sâl, a dyw hi ddim yn gallu gofalu am y defaid a'r ieir tra byddwn ni i ffwrdd."

"Allai hi ddim gofyn i rywun arall?" holodd Siani, gan ddringo i lawr o'r goeden.

"Mae hi wedi gofyn i sawl un," esboniodd Barti, "ond mae pawb yn rhy brysur. Os na allwn ni ddal y cwch ola heddiw, fe fyddwn ni'n rhy hwyr ar gyfer y briodas."

"Dim rhyfedd bod golwg mor drist ar Magi druan," meddai Cadi.

"Dyna pam dwi wedi dod atoch chi,"

meddai Barti. "Dwi'n gobeithio y bydd y criw yn gallu fy helpu."

"Hmm . . ." meddai Cadi'n feddylgar. "Ydy gofalu am ddefaid ac ieir yn waith anodd?"

"Nac ydy, siŵr!" meddai Mostyn. "Mae defaid yn dwp – dy'n nhw'n gwneud dim byd ond sefyll mewn cae a bwyta gwair."

"A does ond angen rhoi bwyd i'r ieir, a'u cloi yn y nos i'w cadw'n saff rhag y llwynog," ychwanegodd Barti.

"Dwi'n siŵr y galla i wneud hynna," meddai Cadi. "Does dim ysgol tan ddydd Llun, felly mae gen i ddigon o amser. Ac fe fyddai casglu'r wyau'n lot o hwyl . . ."

"Ie . . . wel," meddai Barti, "dwi ddim wedi sôn eto am y broblem arall."

"O? Beth ydy honno, felly?" holodd Mostyn.

"Mae'r wyau'n diflannu," esboniodd Barti. "Mae fy meistres yn credu bod yr ieir wedi stopio dodwy, ac mae'r ieir yn taeru eu bod nhw'n dodwy wyau fel arfer, ond eu bod nhw'n diflannu."

"Ha ha!" chwarddodd Mostyn. "Dyw wyau ddim jest yn diflannu, siŵr!"

"Dyna beth o'n i'n arfer ei gredu, ond ro'n i'n anghywir," meddai Barti.

Cyn i Cadi gael cyfle i ofyn rhagor o gwestiynau, galwodd Bopa Gwen o ddrws y caffi. "Dere â Barti'n ôl nawr, Cadi. Mae Magi Tomos yn barod i fynd."

Neidiodd Cadi ar ei thraed a gafael yn y tennyn. "Dwi am gynnig gofalu am anifeiliaid Magi," meddai.

"Byddai hynny'n ateb un broblem o leia," ychwanegodd Siani.

Wrth i Cadi arwain y ci bach yn ôl at ei feistres, stopiodd wrth ddrws y gegin.

Roedd Mam a Dad yn dal i sefyll wrth y sinc. "Gawsoch chi unrhyw lwc?" gofynnodd.

"Do a naddo," atebodd Dad. "Y newyddion da ydy fod y fodrwy'n rhy fawr i fynd i lawr twll y sinc."

"A'r newyddion drwg ydy ei bod hi'n dal ar goll," meddai Mam gan ochneidio. "Ry'n ni wedi chwilio ym mhobman. Mae'r cyfan yn ddirgelwch mawr."

Yn union fel yr wyau, meddyliodd Cadi. *Tybed ai cyd-ddigwyddiad yw e? Neu oes 'na gysylltiad rhwng y ddau beth?*

PENNOD 3

Pan gerddodd Cadi a Barti i mewn i Caffi Cynnes, roedd Magi Tomos yn sefyll wrth y cownter, yn sgwrsio gyda Bopa Gwen. Er bod golwg drist arni, llwyddodd i wenu pan lyfodd Barti ei llaw.

Rhaid i mi fod yn ofalus, meddai Cadi wrthi'i hun. *Alla i ddim cyfaddef mod i wedi siarad gyda Barti, neu fe fydda i'n difetha hud y mwclis.*

"Y'ch chi'n edrych mlaen at y briodas?" holodd yn llon.

Diflannodd gwên Magi Tomos. "Alla i ddim mynd," ochneidiodd. "Does 'na neb i edrych ar ôl yr anifeiliaid tra bydda i i ffwrdd."

"O na! Dyna siom!" llefodd Bopa Gwen. "Trueni mod i'n rhy brysur yn y caffi . . . tybed oes 'na rywun arall allai helpu?"

"Dyna'r broblem," meddai Magi'n ddistaw gan sychu deigryn oddi ar ei hwyneb, "mae *pawb* yn rhy brysur."

"Beth amdana i?" holodd Cadi. "Galla i edrych ar ôl defaid ac ieir – dim problem!" Sylweddolodd yn sydyn nad oedd yr hen wraig wedi sôn wrthi pa anifeiliaid oedd ganddi. Diolch byth,

sylwodd hi ddim – ond winciodd Bopa
Gwen. Roedd hi'n gwybod yn iawn pwy
oedd wedi dweud wrth Cadi!

"Diolch i ti am gynnig, bach," meddai
Magi Tomos. "Ond dwyt ti ddim yn
brysur gyda gwaith ysgol?"

"Mae'n benwythnos," atebodd Cadi, "a does gen i ddim gwaith cartre."

"Mae e'n dipyn o gyfrifoldeb i ferch mor ifanc," meddai Magi'n ansicr.

"Peidiwch â phoeni," cysurodd Bopa Gwen hi. "Mae Cadi'n wych gydag anifeiliaid."

"Beth am i mi ddod adre gyda chi nawr, er mwyn i chi ddangos i mi beth i'w wneud?" holodd Cadi.

Petrusodd yr hen wraig am eiliad cyn gwenu'n llydan a dweud, "Byddai hynny'n wych. Diolch i ti, bach."

Er mawr syndod i Cadi, galwodd Magi Tomos am dacsi i fynd â nhw i'w bwthyn bach. "Does dim llawer o amser," esboniodd. "Rhaid i mi ddangos i ti beth i'w wneud, casglu fy mhethau, a chyrraedd y cei mewn da bryd i ddal y cwch ola."

"O, dwi wrth fy modd mewn tacsi," meddai Barti gan neidio i'r sedd gefn a gwneud ei hun yn gyfforddus. Gwasgodd Cadi a Mostyn i'r ychydig le oedd ar ôl, ac eisteddodd Magi yn y sedd flaen.

Buan iawn y cyrhaeddon nhw gartref Magi – bwthyn bach y tu allan i'r dref, mewn safle braf yn edrych dros y môr. Ond doedd dim eiliad i'w wastraffu'n edrych ar yr olygfa, ac arweiniodd Magi'r ffordd i'r cae y tu ôl i'r bwthyn.

"Dyma nhw'r defaid," meddai gan chwifio'i braich tuag at bum twmpath o wlân gwyn, oedd yn brysur yn cnoi'r glaswellt. "Mili, Mali, Lili, Lowri a Dilys." Cododd y defaid eu pennau wrth glywed ei llais, a throtian draw at

y giât. "Roedd yn rhaid i mi eu bwydo i gyd â photel pan oedden nhw'n ŵyn bach, a doedd gen i ddim calon i'w gwerthu ar ôl iddyn nhw dyfu'n fawr."

"Oes rhaid i mi eu bwydo nhw?"

holodd Cadi, gan fwytho'u pennau gwlanog.

"Na, mae 'na ddigonedd o laswellt yma. Jest gwna'n siŵr nad ydyn nhw wedi dianc, a'u bod i gyd yn sefyll ar eu traed!"

Edrychodd Cadi arni mewn syndod, a rholiodd Mostyn ar ei gefn gan chwerthin. "Fe ddywedais i fod defaid yn dwp, on'd do fe?" cyfarthodd. "Allan nhw ddim hyd yn oed aros ar eu traed eu hunain!"

"Paid â bod mor ddigywilydd!" brefodd Lili.

"Ar yr holl wlân trwchus 'ma mae'r bai," cwynodd Mili.

"Weithiau ry'n ni'n cwympo drosodd . . ." meddai Mali.

". . . ac yn methu'n lân â chodi'n ôl ar

ein traed," ychwanegodd Dilys.

Roedd y cyfan yn gwneud synnwyr i Cadi, ond daliai Mostyn i gyfarth chwerthin. Gwgodd Magi Tomos arno. "Gobeithio nad ydy e'n bwriadu rhedeg ar ôl y defaid 'ma," meddai'n bryderus wrth Cadi.

Tawelodd Mostyn ar unwaith. "Mae'n flin 'da fi," meddai. "Do'n i ddim yn bwriadu ypsetio neb. Fe af i eistedd gyda Barti yn y tacsi." Ac i ffwrdd ag e, a'i gynffon rhwng ei goesau.

"Peidiwch â phoeni, fe wna i ofalu bod Mostyn yn bihafio," meddai Cadi

wrth Magi Tomos. "Nawr 'te, beth am yr ieir?" A cherddodd y ddwy draw at y cytiau.

"Y peth pwysicaf un ydy dy fod yn eu cloi'n ddiogel yn y cwt cyn iddi nosi," meddai'r hen wraig. "Neu, fel arall, fe fydd y llwynog yn eu dal nhw – a byddai hynny'n ofnadwy." Aeth draw i'r sied i nôl bwcedaid bach o fwyd ieir a'i rhoi i Cadi. "Mae angen eu bwydo yn y cwt yn y bore, a'r tu allan fin nos. Rho gynnig arni nawr, bach. Mae'n hen bryd iddyn nhw ddod i mewn am y nos, a bydd yn ymarfer da i ti. Maen nhw'n dod yn ddidrafferth wrth weld y bwyd."

Ysgydwodd Cadi'r bwyd a galw, "Tshwc, tshwc! Dewch nawr!"

Yn sydyn, clywodd sŵn siffrwd yn y llwyni, a daeth tair iâr frown i'r golwg.

"Dyma nhw – Ffydd, Gobaith, Cariad," meddai Magi Tomos gan bwyntio at bob un yn ei thro.

"Www, rhywun newydd," clwciodd Ffydd gan sbecian ar Cadi.

"Falle taw hi yw'r Siaradwr," atebodd Gobaith. "Yr un mae adar y to wedi bod yn sôn amdani."

"Dewch wir," meddai Cariad, gan gerdded yn fân ac yn fuan tuag at y cwt ieir. "Dwi'n barod am fy swper."

Dilynodd Cadi'r ieir i mewn i'w cwt, arllwys y bwyd i mewn i'r bowlen, a gwneud yn siŵr fod ganddyn nhw ddigon o ddŵr. Yna caeodd y drws yn ofalus ar ei hôl.

Tybed alla i fentro holi Magi Tomos am yr wyau sy'n diflannu? meddyliodd Cadi. *Rhaid i mi fod yn ofalus, a*

pheidio â sôn gair am Barti . . .

"Ble hoffech chi i mi roi'r wyau yn y bore?" gofynnodd yn ddiniwed.

"Wel," ochneidiodd Magi, "dwi ddim yn credu y bydd 'na unrhyw wyau o gwbl – dyw'r ieir ddim wedi dodwy ers tair wythnos!"

Ar y gair, daeth sŵn clwcian uchel o'r tu mewn i'r cwt wrth i'r ieir brotestio'n chwyrn. Roedden nhw i gyd yn clebran ar draws ei gilydd, ond clywodd Cadi'r ddau air "dwyn" a "lleidr".

Yn sydyn, canodd gyrrwr y tacsi ei gorn. "Brysiwch, Mrs Tomos fach, neu fe fyddwch chi'n colli'r cwch!" gwaeddodd.

"O diar," atebodd hithau'n ffwndrus, "rhaid i mi fynd i gasglu fy mhethau."

A brysiodd Cadi a hithau i'r bwthyn.

Roedd y cês yn gorwedd ar agor ar y gwely. Rhoddodd Magi Tomos ei bag pethe 'molchi a thywel i mewn ynddo, a'i gau. "Estyn fy mroets siâp pilipala oddi ar y bwrdd gwisgo, wnei di, bach?" meddai wrth Cadi.

Edrychodd Cadi'n ofalus ar y bwrdd gwisgo taclus o flaen y ffenest. Arno roedd llun o Barti gydag un o'r defaid, jar o hufen, a bocs bach wedi'i addurno â chragen bert – ond dim broets. Chwiliodd Cadi ar y llawr o dan y bwrdd gwisgo, ac ar sil y ffenest. "Does dim golwg ohoni yn unman!" meddai wrth Magi Tomos.

"Dyna beth rhyfedd," meddai Magi Tomos gan gau'r ffenest. "Dwi'n cofio'i rhoi hi fan hyn, yn barod i'w phacio, cyn mynd i'r caffi. Ond nawr mae hi wedi diflannu!" llefodd.

Yn union fel yr wyau – a modrwy Mam, meddyliodd Cadi. *Roedd honno o flaen ffenest agored hefyd . . . Ai cyd-*

ddigwyddiad yw e, tybed? Neu ydy'r ieir yn dweud y gwir, a bod lleidr ar waith ar Ynys y Cregyn?

PENNOD 4

Penderfynodd Cadi beidio â sôn gair wrth Magi Tomos. Wedi'r cwbl, doedd ganddi ddim prawf fod unrhyw beth wedi cael ei ddwyn, a doedd dim pwynt poeni'r hen wraig heb reswm.

"O wel, bydd raid i mi fynd heb y froets," meddai Magi, gan daflu brwsh gwallt i mewn i'r cês a'i gau. "Does dim amser i chwilio rhagor."

Cerddodd gyrrwr y tacsi at ddrws ffrynt y bwthyn, gan edrych ar ei wats. "Dewch â'r cês i mi, Mrs Tomos," meddai. "Mae'n hen bryd i ni gychwyn." Neidiodd y ddwy i mewn i'r tacsi, a'r cŵn yn eu dilyn. Gwasgodd y gyrrwr ei droed ar y sbardun, ac i ffwrdd â nhw.

Cael a chael oedd hi. Roedd criw'r cwch ar fin codi'r bont symudol pan stopiodd y tacsi yn y cei.

"Peidiwch â mynd eto!" llefodd Cadi. "Mae 'na deithiwr arall fan hyn."

Diolch byth, cytunodd y criw i aros am Magi Tomos. Estynnodd un ei law i'w helpu dros y bont, a chododd un arall y cês o gist y tacsi. Neidiodd Barti ar ôl ei feistres, gan gyfarth yn hapus.

"Hwyl fawr, a diolch am bopeth!" galwodd yr hen wraig gan chwifio'i llaw a gwenu'n llydan ar Cadi oddi ar fwrdd y cwch.

"Mae'n dda ei gweld yn edrych mor hapus," meddai Cadi wrth Mostyn, gan chwifio'n ôl.

"Roedd y broblem yna'n ddigon

hawdd ei datrys," cyfarthodd Mostyn.

"Oedd, ond mae'r llall yn fwy cymhleth nag o'n i wedi'i feddwl," atebodd Cadi. "Nid yr wyau yw'r unig bethe sy'n diflannu."

"Wir?" holodd Mostyn. "Dweda'r hanes i gyd wrtha i."

"Na, ddim eto," atebodd Cadi. "Beth am i ni alw cyfarfod o'r criw fel bod modd i mi ddweud wrth bawb gyda'i gilydd?"

Rhedodd Mostyn o'i blaen i alw'r lleill at ei gilydd, gan adael i Cadi gerdded adre i Caffi Cynnes ar ei phen ei hun. "Dwi'n ôl!" galwodd ar Dad a Bopa Gwen yn y gegin, cyn brysio allan i'r ardd.

Roedd cuddfan bron-yn-gyfrinachol y criw ym mhen pella'r ardd, mewn llannerch yng nghanol llwyni trwchus. Er mawr syndod i Cadi, hi oedd yr olaf i gyrraedd. Roedd Mostyn yno eisoes, a'r pedair cath, ac eisteddai Penri ar gangen uwch eu pennau.

"Do'n i ddim yn disgwyl dy weld di, Penri," meddai Cadi.

"Wel," atebodd y parot, "roedd Mostyn yn gwneud i'r cyfan swnio'n ddiddorol iawn. A dwi wedi cael llond bol ar wylio'r un hen raglenni dro ar ôl tro."

"Gobeithio na fyddwn ni yma'n hir," cwynodd cath ddu dew o'r enw Bynsen. "Mae hi bron yn amser swper, a dwi ar lwgu."

"Twt lol, rwyt ti wastad ar lwgu," wfftiodd Hadog, cath frech oedd yn byw gyda hen ŵr yn y pentref.

Safodd Siani, cath y swyddfa bost, ar ei thraed a chodi'i chynffon yn uchel. "Tewch, da chi – rhowch gyfle i Cadi egluro pam ry'n ni yma."

Arhosodd Cadi nes bod pawb wedi tawelu cyn dechrau adrodd hanes y fodrwy a'r froets oedd ar goll, a'r wyau oedd yn diflannu. "Allwn ni ddim bod yn siŵr nes cael gair gyda'r ieir, ond mae'n edrych yn debyg bod 'na leidr ar yr ynys," ychwanegodd.

Crynodd Bynsen. "O, dwi ddim yn hoffi lladron. Falle y dylen ni ddweud wrth yr heddlu?"

"Na, dim eto," meddai Cadi. "Does ganddon ni ddim prawf fod unrhyw beth wedi cael ei ddwyn. Gwell i ni fynd ati i holi tipyn cyn poeni neb arall."

"Www!" crawciodd Penri, gan neidio i fyny ac i lawr yn gyffrous. "Beth am i ni fod yn dditectifs? Dwi wedi gwylio digon o raglenni teledu – fe fydda i'n dditectif grêt!"

"Roedd Blwyddyn Pump yn dysgu am y ditectif Sherlock Holmes y dydd o'r blaen," ychwanegodd Blodwen, y gath wen oedd yn byw yn yr ysgol. "Dyna i chi ddyn diddorol!"

"Mae hyn yn mynd i fod yn hwyl!" cyfarthodd Mostyn, gan ysgwyd ei gynffon. "Gorau po gynta ddechreuwn ni ar y gwaith."

"Rhaid i ni siarad gyda'r ieir i ddechre," meddai Cadi, "ac maen nhw wedi clwydo erbyn hyn. Awn ni draw yno fory. Pawb i gwrdd tu allan i fwthyn Magi Tomos, iawn?"

Cadi, Mostyn a Penri oedd y cyntaf i gyrraedd y bore wedyn. "Mae 'na ladron yn yr ardd yn barod," cyfarthodd Mostyn gan redeg ar ôl y colomennod oedd yn pigo dail y bresych.

Cododd y colomennod i'r awyr mewn
cwmwl llwyd, a glanio ar gangen
coeden gan ddychryn yr adar eraill
oedd yno o'u
blaenau.
Hedfanodd un
aderyn mawr du a
gwyn i ymuno â'r
defaid yn y cae,
ond roedden
nhw'n rhy brysur
yn pori i gymryd
sylw ohono.

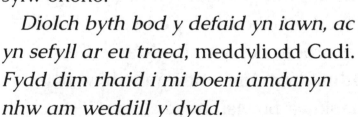

*Diolch byth bod y defaid yn iawn, ac
yn sefyll ar eu traed*, meddyliodd Cadi.
*Fydd dim rhaid i mi boeni amdanyn
nhw am weddill y dydd.*

Cerddodd draw at y sied i gasglu
bwyd yr ieir, ac aeth Mostyn a Penri

gyda hi at y cwt. Wrth iddyn nhw gyrraedd, rhedodd pedair cath y criw atyn nhw.

"Sorri ein bod ni'n hwyr," meddai Siani.

"Ar Bynsen roedd y bai," esboniodd Hadog. "Doedd e ddim yn fodlon dod cyn bwyta'i frecwast."

Llyfodd Bynsen ei weflau. "Mae'n haws bod yn dditectif ar stumog lawn," mewiodd yn fodlon.

Agorodd Cadi ddrws y cwt ieir, a rhuthrodd y tair iâr allan. Sylwodd Ffydd a Gobaith ar y criw, a chlwcian i'w croesawu, ond doedd gan Cariad ddim diddordeb mewn unrhyw beth heblaw'r bowlen fwyd. "Hwrê! Brecwast!" clwciodd, gan hopian i fyny ac i lawr.

Taenodd Cadi beth o'r bwyd ar y
ddaear, fel roedd Magi Tomos wedi
dangos iddi. Yna, tra oedd yr ieir yn
brysur yn bwyta, aeth at y blychau
nythu yn y cwt. Roedd pob un yn wag –
doedd dim wy i'w weld yn unman!

"Roedd Magi'n iawn," meddai wrth gamu drwy'r drws. "Mae'r tair ohonoch chi wedi rhoi'r gorau i ddodwy."

"Dyw hynny ddim yn wir!" llefodd Ffydd. "Fe wnes i ddodwy wy'n gynnar bore 'ma!"

"Ond mae e wedi diflannu," clwciodd Gobaith. "Wedi cael ei ddwyn, yn union fel y lleill."

"Mae'r stori'n wir, felly," crawciodd Penri. "*Mae* 'na leidr yn ein plith!"

"Ydy e'n fawr?" holodd Bynsen yn nerfus, gan edrych dros ei ysgwydd fel petai'n disgwyl i rywun neidio allan o'r llwyni.

"Nac ydy, siŵr," clwciodd Ffydd, "neu fyddai e ddim yn gallu dod i mewn i'r cwt heb i ni ei weld."

"Yn hollol," cytunodd Gobaith.

Cododd Cariad ei phen o'r bowlen am eiliad a dweud, "Fe fydden ni'n siŵr o sylwi ar berson – hyd yn oed un ifanc fel ti, Cadi."

"Rhaid taw anifail yw'r lleidr, felly," meddai Cadi. "Anifail bach. Diolch byth mod i heb ddweud wrth yr heddlu, yntê?"

Gwaith i'r criw yw hwn, yn bendant, meddai wrthi'i hun. *Ond beth yw'r ffordd orau o fynd o'i chwmpas hi?*

PENNOD 5

Eisteddodd y criw mewn cylch a thrafod beth i'w wneud nesaf. "Beth am holi pawb ry'n ni'n eu hamau?" cynigiodd Penri.

"Dy'n ni ddim yn amau neb eto," atebodd Hadog.

"Beth am chwilio am olion traed, 'te?" awgrymodd Blodwen.

"Does 'na ddim olion – mae'r ddaear

yn rhy galed," meddai Hadog.

Cododd Siani ar ei thraed. "Rwyt ti'n un da am wrthod syniadau pobl eraill, Hadog," meddai'n bigog. "Oes gen ti rywbeth gwell i'w gynnig?"

Llyfodd Hadog un bawen yn feddylgar. "Wel," meddai, "anifeiliaid ydyn ni, felly fe ddylen ni ddefnyddio sgiliau anifeiliaid i ddatrys y dirgelwch."

"Ie, syniad da," cyfarthodd Mostyn. "Mae gen i drwyn da am arogleuon." A dechreuodd gerdded o gwmpas y cwt ieir gan sniffian y ddaear yn ofalus.

"Fedri di arogli unrhyw beth?" holodd Cadi ymhen sbel.

"Mmm . . . mae 'na arogleuon diddorol iawn yma," atebodd Mostyn gan wenu. "Ti, fi, colomennod, gwair, ieir . . ."

"Beth am y lleidr?" holodd Penri'n ddiamynedd. "Fedri di ei arogli e?"

Sniffiodd y ci eto. "Wel," meddai o'r diwedd. "Mae 'na un arogl sy'n wahanol iawn i'r lleill."

"Cliw! Cliw!" crawciodd y parot gan neidio i fyny ac i lawr yn gyffrous.

"Arogl y lleidr, siŵr o fod!"

"Pa fath o anifail yw e?" holodd Cadi.

Caeodd Mostyn ei lygaid a meddwl yn galed. "Dwi ddim yn rhy siŵr," cyfaddefodd o'r diwedd. "Dwi wedi arogli rhywbeth tebyg o'r blaen, ond fedra i yn fy myw gofio beth yw e . . ."

"Esgusodwch fi," clwciodd Gobaith, "ydyn ni wedi datrys y dirgelwch eto? Y peth yw, dwi'n teimlo mod i ar fin dodwy wy – ydy hi'n saff i mi wneud, tybed?"

"Beth am i ni osod trap ar gyfer y lleidr?" awgrymodd Cadi.

"Trap llygoden wyt ti'n feddwl?" holodd Bynsen.

"Nage, trap lleidr fydd hwn," atebodd Cadi. "Os awn ni i gyd i guddio tra bydd Gobaith yn dodwy wy, gallwn ni ddal y lleidr yn y fan a'r lle."

"A neidio ar ei gefn e!" gwaeddodd Hadog yn gyffrous.

"Os oes rhywun yn bwriadu ymosod ar y lleidr, dwi'n mynd adre – nawr," meddai Blodwen yn grynedig.

"Paid â phoeni, Blodwen fach," cysurodd Cadi hi. "Does neb yn mynd i gael dolur – ddim hyd yn oed y lleidr."

"Rhaid i ni roi stop ar ei hen dricie," meddai Mostyn yn bendant.

"Wrth gwrs," cytunodd Cadi. "Ond yn gynta rhaid iddo fe fynd i mewn i'r cwt ieir a dwyn yr wy. Tan hynny, allwn ni ddim bod yn sicr taw fe yw'r lleidr. Iawn 'te – pawb i guddio!"

Ac i ffwrdd â'r criw i chwilio am lefydd i guddio o gwmpas y cwt ieir a'r llwyni cyfagos. *O diar*, meddai Cadi wrthi'i hun, *mae'n llawer haws i weddill y criw – dwi'n rhy fawr!* Ond, o'r diwedd, daeth o hyd i le da yng nghanol canghennau llawn dail. "Dyma dy gyfle di, Gobaith," gwaeddodd ar yr iâr. "Pob lwc!"

Chwaraeodd Gobaith ei rhan yn wych. Camodd yn hyderus i mewn i'r cwt ieir, ac yn fuan dechreuodd glochdar dros bob man. Yna cerddodd allan gan ddal ei phen yn uchel, a chyhoeddi'n falch, "Dwi wedi dodwy wy. Wy mawr, brown, hyfryd. Yr wy gorau i mi ei ddodwy erioed!" Edrychodd o'i chwmpas yn nerfus, ac mewn llais uchel meddai, "Dim ond gobeithio na fydd neb yn dwyn fy wy arbennig i!"

Am sbel, ddigwyddodd dim byd, a phawb yn sbecian o'u gwahanol guddfannau. Tybed ydy hyn yn syniad da wedi'r cwbl? gofynnodd Cadi iddi'i hun. Falle fod y lleidr yn rhy bell i ffwrdd i glywed Gobaith – neu falle ei fod e wedi cael llond bol ar fwyta wyau!

Ond, yn sydyn, clywodd sŵn siffrwd yn y glaswellt tal. Cododd Cadi'i phen a gweld anifail bach brown yn sleifio tuag at y cwt ieir. Roedd ganddo gorff

hir, a choesau mor fyr nes bod ei fol bron â chyffwrdd y ddaear.

Daliodd Cadi ei hanadl wrth ei wylio, a daeth 'run smic o sŵn gan y criw chwaith. Doedd neb am ddychryn y creadur bach i ffwrdd cyn gweld ai fe oedd y lleidr ai peidio.

Doedd dim rhaid iddyn nhw aros yn hir. Pan gyrhaeddodd y creadur wal y cwt ieir, sbeciodd dros ei ysgwydd i wneud yn siŵr fod neb yn ei wylio. Yna, gwasgodd ei hun drwy dwll bach, bach a diflannu. Heb wneud smic o sŵn, closiodd y criw at y cwt, yn barod i lamu mlaen a'i ddal.

"Gwenci yw hi," sibrydodd Mostyn gan wthio'i hun ymlaen ar ei fola. Crychodd ei drwyn a sniffian yr aer. "Ie, dyna'r arogl sylwais i arno – ond ar y pryd doedd gen i ddim syniad pa fath o anifail oedd e."

Ymhen munud neu ddau, daeth y wenci i'r golwg drwy'r twll, gan rolio wy Gobaith o'i blaen. Roedd hi'n amlwg wrth ei bodd, ac mor hyderus fel na thrafferthodd i wneud yn siŵr fod neb yn ei gwylio.

"NAWR!" gwaeddodd Cadi. Ar y gair, rhuthrodd y criw i gyd ymlaen a ffurfio cylch o amgylch y wenci. Er mwyn gwneud yn siŵr na allai ddianc trwy neidio, hedfanodd Penri uwch ei phen gan grawcian yn swnllyd.

Safodd y wenci'n stond a syllu mewn rhyfeddod ar y criw o'i chwmpas. Cododd ar ei choesau ôl a dweud yn ddiniwed, "Shwmai, ffrindiau, oes rhywbeth yn bod?"

"Oes, wrth gwrs," atebodd Siani, "neu fydden ni ddim yma o gwbl."

"Mae'n flin 'da fi glywed hynny," atebodd y wenci. "Ond tybed a fyddech cystal â symud o'r ffordd, i mi gael mynd â'r wy 'ma adre?"

"Nid dy wy di yw e," meddai Blodwen wrthi. "Wy Gobaith yw e."

"Wy Gobaith *oedd* e," atebodd y wenci. "Fi biau e nawr, reit?" Aeth i lawr ar ei phedair troed eto, a cheisio rholio'r wy rhwng Cadi a Mostyn.

Symudodd Cadi i'r ochr i'w rhwystro, a chwyrnodd Mostyn i'w rhybuddio.

"Nawr, nawr," meddai'r wenci, "does dim angen i chi fod mor gas."

"Cywilydd arnat ti!" llefodd Cadi. "Wnaeth dy fam erioed dy ddysgu di bod dwyn yn beth drwg i'w wneud?"

"Naddo, siŵr," atebodd y wenci. "A dweud y gwir, hi ddysgodd fi. Roedd hi'n falch iawn ohona i – ro'n i'n well lleidr o lawer na neb arall o'r teulu."

"Hy!" ebychodd Hadog. "Taset ti'n lleidr mor wych â hynna, fydden ni byth wedi gallu dy ddal!"

"Ie, wel . . ." meddai'r wenci, gan symud yn anesmwyth o un droed i'r llall. "Beth y'ch chi'n bwriadu'i wneud gyda fi?"

"I ddechre, fe gymera i *hwn*," atebodd Cadi, gan afael yn ofalus yn yr wy. "Wedyn, dwi am i ti roi'r fodrwy a'r froets yn ôl i mi."

"Modrwy? Broets? Am beth wyt ti'n sôn?" holodd y wenci'n syn.

"Rwyt ti'n gwybod yn iawn – modrwy Mam, yr un gipiaist ti oddi ar sil ffenest y gegin. A broets Magi Tomos, yr un ddiflannodd o'i stafell wely."

Ysgydwodd y wenci ei phen. "Na, nid fi wnaeth hynny. Fyddai'r un wenci gall yn dwyn o dai pobl. Maen nhw'n llefydd rhy beryglus o lawer," meddai. "A beth yn y byd fyddwn i'n ei wneud gyda modrwy a broets? Does dim pwynt dwyn rhywbeth nad ydw i'n gallu'i fwyta!"

"Hmm, mae'n swnio fel tase'r wenci'n dweud y gwir," crawciodd Penri.

"Ydw, wrth gwrs," meddai'r wenci'n bendant. "Falle mod i'n lleidr – ond dwi ddim yn gelwyddgi!"

Syllodd Cadi'n ddryslyd arni. Os nad y wenci oedd wedi dwyn y fodrwy a'r froets, yna beth oedd wedi digwydd iddyn nhw? Ai camddealltwriaeth oedd

y cyfan, wedi'r cwbl? Neu oedd 'na
ddau leidr ar Ynys y Cregyn?

PENNOD 6

"Ga i fy wy yn ôl nawr, os gweli di'n dda?" gofynnodd y wenci.

"Na chei, wir," atebodd Cadi.

Gwenodd y wenci'n slei arni. "Ga i'r wy os dyweda i wrthot ti pwy sy wedi dwyn y fodrwy?" gofynnodd.

"Wel wir, dwi'n synnu atat ti!" crawciodd Penri. "Ro'n i'n meddwl bod lladron wastad yn cadw cyfrinachau'i gilydd!"

"Nid fel'na ges i fy nysgu," atebodd y

wenci. "Roedd fy hen fam wastad yn dweud, 'Os wyt ti mewn trwbwl, gwna beth bynnag sy raid i gael allan ohono'. A dyna beth dwi'n wneud nawr."

Rholiodd Cadi'r wy yn ei dwylo, gan feddwl yn galed. Roedd e'n frown, yn llyfn ac yn gynnes – a byddai Magi wrth ei bodd gydag e.

"Croeso i ti roi'r wy i'r wenci," meddai Gobaith. "Do'n i ddim yn bwriadu ei gadw ta beth."

Ond doedd Cadi ddim yn siŵr. Wrth adael i'r wenci gadw'r wy, byddai cystal â dweud nad oedd dim o'i le ar ddwyn eiddo pobl. Ar y llaw arall, roedd hi'n ysu am gael gwybod beth oedd wedi digwydd i fodrwy Mam . . .

Yn sydyn, cafodd syniad. Edrychodd yn feddylgar ar y wenci. "Fe ddwedaist ti nad oes pwynt dwyn rhywbeth nad wyt ti'n gallu'i fwyta," meddai.

"Do," cytunodd y wenci. "Mae pob gwenci'n hoffi cael bola llawn."

"Fel rhai cathod dwi'n eu nabod," meddai Siani gan syllu ar Bynsen.

"Felly," aeth Cadi yn ei blaen, "does dim posib taw gwenci yw'r lleidr arall. Rhaid mai rhyw fath arall o anifail yw e."

"Un sy'n hoffi pethe nad yw e'n gallu

eu bwyta," meddai Hadog.

"Ac yn hoffi pethe pert,"
ychwanegodd Mostyn.

"Www! Mae hyn yn debyg iawn i
gwis teledu," crawciodd Penri. Yna,
mewn llais cwisfeistr, meddai, "Pa
anifail sy'n hoffi dwyn pethe pert,
sgleiniog?"

Syllodd gweddill y criw arno. "Ti yw'r
un sy'n treulio orie'n gwylio rhaglenni
cwis ar y teledu," meddai Mostyn. "Wyt
ti'n gwybod yr ateb?"

"O diar . . . mae e ar flaen fy nhafod
i," atebodd y
parot gan
grafu'i ben yn
feddylgar.
"Rhyw fath o
aderyn yw e,

ond fedra i yn fy myw gofio'i enw. Un mawr, du a gwyn . . ."

Yn sydyn, cofiodd Cadi am yr adar oedd wedi cael eu dychryn gan y colomennod yn gynharach yn y dydd. "O!" llefodd yn gyffrous. "Welais i aderyn fel 'na bore 'ma . . ."

"Pioden!" llefodd Penri'n falch. "Dyna'r enw ro'n i'n chwilio amdano!"

"O wel," meddai'r wenci. "Nawr dy fod ti wedi dyfalu, man a man i mi fynd." Gwthiodd rhwng coesau Bynsen, oedd yn rhy dew ac araf i'w rhwystro.

Ruthrodd Cadi, Mostyn a'r cathod eraill ar ôl y wenci, ond yn ei brys llithrodd Cadi a chwympo ar ei hyd ar lawr. "O, na!" llefodd wrth i'r wy ddisgyn o'i llaw – SBLAT! Gwelodd y wenci ei chyfle, a llwyddo i ddianc.

"Iym, iym!" meddai Bynsen gan lyfu'r melynwy blasus.

"Beth am y wenci?" holodd Penri.

"Gawn ni gyfle i ddelio â hi'n nes mlaen," atebodd Cadi. "Yn gynta, rhaid i ni chwilio am y bioden 'na. Dewch, fe awn i weld ydy hi'n dal yn y cae gyda'r defaid."

Ac yn wir, dyna lle'r oedd y bioden. Camai'n falch rhwng y defaid gan sefyll yn stond bob hyn a hyn i bigo ar ryw damaid blasus. Roedd hi mor brysur, welodd hi mo'r criw yn dod tuag ati.

"Rhaid i ni feddwl am gynllun cyn siarad â'r bioden," sibrydodd Cadi wrth y lleill. "Dewch gyda mi i'r cwt ieir i ni gael trafod beth i'w wneud nesa."

"Ydyn ni'n mynd i osod trap, fel y gwnaethon ni gyda'r wenci?" holodd Siani.

"Yn anffodus," chwarddodd Gobaith, "alla i ddim dodwy modrwy!"

"Gallen ni ddefnyddio mwclis Cadi i ddenu'r bioden," awgrymodd Bynsen. "Maen nhw'n sgleiniog iawn."

"Dim ond pan mae Cadi'n eu gwisgo," atgoffodd Mostyn hi. "A does dim pwynt iddi dynnu'r mwclis, neu fyddwn ni ddim yn gallu siarad gyda hi."

"Bydd raid i ni feddwl am gynllun arall," meddai Cadi. "Nawr 'te, tybed beth fyddai ditectif go iawn yn ei wneud?"

"Chwilio am y fodrwy yng nghartre'r

un sy dan amheuaeth, siŵr iawn," crawciodd Penri.

"Syniad gwych, Penri," meddai Cadi. Pwyntiodd at dwmpath blêr o frigau yn y goeden uwch eu pennau a dweud, "Mae'n rhaid taw hwnna yw nyth y bioden – ond mae'n uchel iawn!"

"Paid â disgwyl i mi ddringo i fyny fanna!" ebychodd Bynsen.

"Na finne chwaith!" ychwanegodd Blodwen.

"Does dim rhaid i'r un ohonoch chi ddringo at y nyth, siŵr!" chwarddodd Cadi. "Gall Penri hedfan at y nyth i weld oes rhywbeth ynddo. Gwaith ditectif go iawn!"

Edrychodd ar Penri, gan ddisgwyl y byddai wrth ei fodd, ond synnodd wrth weld Penri'n ysgwyd ei ben.

"Na wna i, wir," meddai mewn llais difrifol. "Alla i ddim gwneud y fath beth. Ddim heb warant chwilio . . ."

PENNOD 7

"Beth yn y byd yw warant chwilio?" holodd Hadog.

"Wyt ti'n gallu'i fwyta fe?" gofynnodd Bynsen yn obeithiol.

"Nac wyt, siŵr," wfftiodd Penri gan wthio'i frest allan yn falch. "Darn pwysig iawn o bapur a sgrifen arno yw warant chwilio. Fyddai ditectif go iawn byth yn mynd i unman heb un."

"Falle y gallen ni gael un yn swyddfa'r post," awgrymodd Siani. "Mae fy meistres i'n aml iawn yn rhoi darnau pwysig iawn o bapur i bobl."

"Mae'n rhy bell," meddai Mostyn. "Erbyn i ni gyrraedd yn ôl, byddai'r bioden yn siŵr o fod wedi hedfan i ffwrdd."

Beth wnawn ni nawr? meddai Cadi wrthi'i hun. *Dy'n ni ddim yn dditectifs go iawn, a fydden ni byth yn gallu cael gwarant go iawn – ond dwi ddim am ypsetio Penri.*

Yn sydyn, cafodd syniad da. Chwiliodd drwy'i phocedi a dod o hyd i hen fag papur a darn o greon glas. Gwasgodd y bag mor llyfn â phosib, a sgrifennu'r geiriau canlynol arno:

WARANT CHWILIO

Mae'r darn pwysig hwn o bapur yn rhoi caniatâd i Penri chwilio yn nyth y bioden!

Darllenodd y geiriau'n uchel cyn plygu'r papur yn ddigon bychan fel bod modd i Penri ei gario yn ei big.

"Perffaith!" meddai Penri. "Nawr dwi'n dditectif go iawn!"

Eisteddodd y criw wrth fôn y goeden, ac aros i Penri lanio ar y nyth. Gallent ei glywed uwch eu pennau'n rhyfeddu, "Www! Wel, dyna bert!" Yna, o'r diwedd, hedfanodd i lawr eto; y tro hwn cariai rywbeth yn ei big, a hwnnw'n disgleirio yn yr haul.

Sylweddolodd Cadi'n syth taw broets pilipala Magi Tomos oedd ym mhig Penri – ac yn saff rhwng crafangau'r parot roedd modrwy Mam.

Roedd Cadi wrth ei bodd. "Rwyt ti'n wych, Penri!" llefodd gan afael yn ofalus yn y ddau drysor. "Fe fyddai unrhyw dditectif yn falch iawn ohonot ti! Dere, fe awn ni i gae'r defaid. Nawr bod tystiolaeth ganddon ni, byddai'n well i ni gael gair 'da'r lleidr."

Roedd y bioden mor brysur yn pigo fel na sylwodd ar y criw yn cau o'i chwmpas nes ei bod yn rhy hwyr. Fflapiodd ei hadenydd yn wyllt, ond roedd Penri'n rhy gyflym iddi.

Hedfanodd mewn cylchoedd uwch ei phen i'w rhwystro rhag dianc.

"Pam y'ch chi'n gwneud hyn i mi?" holodd y bioden mewn llais crynedig.

"Rwyt ti wedi bod yn dwyn," atebodd Cadi mewn llais cadarn.

"Naddo, wir," meddai'r bioden. "Faswn i byth yn gwneud y fath beth!"

"Sut, felly, wyt ti'n esbonio'r rhain?" gofynnodd Cadi, gan ddal y fodrwy a'r froets yng nghledr ei llaw. "Mae Penri wedi dod o hyd iddyn nhw yn dy nyth di."

"Roedd gen i warant chwilio, wrth gwrs," cyhoeddodd Penri'n bwysig.

Ond doedd y bioden ddim yn gwrando. Roedd hi'n rhy brysur yn syllu ar y tlysau yn llaw Cadi. "Pethe pert Patsi Pioden ydyn nhw!" ochneidiodd.

"Nage wir," meddai Cadi gan roi'r fodrwy a'r froets yn ei phoced i'w cadw'n saff. "Nid ti biau nhw. Fe wnest ti eu dwyn!"

"Naddo – dod o hyd iddyn nhw wnes i. Doedd neb eu heisie nhw."

"Twt lol!" ebychodd Mostyn. "Roedd y perchenogion yn torri'u calonne pan sylweddolon nhw eu bod wedi diflannu."

Syllodd Siani'n ddig ar y bioden. "Alli di ddim jest dwyn unrhyw beth sy'n cymryd dy ffansi," meddai. "Dyw hynny ddim yn iawn."

"Does neb wedi cwyno o'r blaen," atebodd y bioden mewn llais trist.

"Falle fod neb wedi dy ddal di o'r blaen," meddai Cadi. "Bydd raid i ti roi popeth yn ôl, wyt ti'n deall?"

"Popeth?" holodd y bioden mewn llais bychan bach.

"Fydd dim rhaid iddi wneud hynny," meddai Penri'n bwysig. "Yr unig bethe

sy ar ôl yn y nyth yw topiau poteli,
papur losin sgleiniog – y math yna o
beth. Sbwriel, mewn gwirionedd."

"Ond sbwriel pert," meddai'r bioden.
"Dwi'n hoffi pethe pert."

"A finne hefyd," cytunodd Cadi. "Yn
union fel mae Mam yn hoffi'i modrwy,
a Magi Tomos yn hoffi'i broets."

"Mae'n wir flin 'da fi," meddai'r
bioden. "Wna i ddim dwyn unrhyw
beth pwysig byth eto."

"Y peth gore i ti ei wneud yw cadw'n
ddigon pell o dai pobl," meddai Siani.
"Fel yna, chei di mo dy demtio. Mae pobl
yn aml yn gadael pethe o gwmpas y lle."

"Ydyn," cytunodd Hadog. "Un tro,
gadawodd fy meistr sardîn ar ei blât,
ac roedd e wedi gwylltio oherwydd
mod i wedi'i bwyta."

"Dwi'n addo peidio â dwyn byth eto," meddai'r bioden. "Nawr 'te, oes 'na unrhyw beth arall alla i ei wneud?"

Cofiodd Cadi'n sydyn am y wenci. Doedden nhw ddim wedi llwyddo i'w dysgu *hi* bod dwyn yn beth drwg i'w wneud. Tybed allai'r bioden eu helpu? "Allet ti gario wy iâr yn dy geg?" gofynnodd i'r bioden.

"Dim gobaith," torrodd Hadog ar ei thraws, "mae ei phig hi'n rhy fach."

"Nag yw ddim," atebodd y bioden. "Edrych ar hyn – mae fy mhig i'n agor yn FAWR!"

"Waw!" ebychodd Hadog. "Fe ddylet ti allu cario wy'n eitha hawdd, felly." Trodd at Cadi a gofyn, "Beth wyt ti'n ei gynllunio?"

"Dwi am ddysgu gwers i'r wenci 'na," atebodd Cadi gan arwain y criw yn ôl at y cwt ieir. "Ond rhaid i mi drafod gyda'r ieir yn gynta. Wnaiff y cynllun fyth weithio heb help un ohonyn nhw."

PENNOD 8

Roedd yr ieir wrthi'n brysur yn pigo'r bwyd roedd Cadi wedi'i adael iddyn nhw. Cododd Ffydd a Gobaith eu pennau wrth glywed y criw'n dod tuag atyn nhw, ond daliodd Cariad i fwyta.

"Ry'n ni am ddysgu gwers i'r wenci 'na," meddai Cadi. "Nawr 'te, oes un ohonoch chi'n barod i ddodwy wy i mi?"

"Mi wnes i ddodwy un yn gynnar

bore 'ma," atebodd Ffydd. "Fydda i ddim yn barod i ddodwy un arall am sbel eto."

"Dwi ddim yn credu y galla i eich helpu," meddai Gobaith yn sychlyd. "Wedi'r cwbl, fe dorroch chi'r un diwetha."

"Mae'n wir flin 'da fi, ond damwain oedd hi," meddai Cadi.

"Ac roedd e'n flasus hefyd," meddai Bynsen, gan lyfu'i gweflau.

O na, meddai Cadi wrthi'i hun, *mae fy nghynllun yn siŵr o fethu!*

Ond, yn sydyn, cododd Cariad ei phen. "Dwi'n credu y galla i helpu," meddai.

"O, diolch i ti," meddai Cadi'n hapus. "Fe wnawn ni 'run peth yn union â'r tro diwetha," esboniodd. "Ond y tro hwn byddwn yn aros o'r golwg tan y funud ola. Dy'n ni ddim am i'r wenci ddyfalu taw trap yw e!"

Brysiodd pawb i guddio tra oedd Penri a'r bioden yn hedfan yn uchel i geisio gweld y lleidr. Pan oedd pawb yn barod, dechreuodd Cariad chwarae'i rhan. Ac yn wir, roedd hi'n actio'n wych! Camodd i mewn i'r cwt ieir, a chrawcian yn uchel am sbel. Yna rhuthrodd allan yn falch, gan ganu mewn llais uchel, "O, fy wy, fy wy! Does dim wy mwy na hwn yn y plwy!"

Daliodd Cadi'i hanadl i weld beth fyddai'n digwydd. *Tybed fydd y wenci'n rhy ofalus i fentro dwyn eto heddiw?*

meddai wrthi'i hun. *Gobeithio'n wir ei bod hi'n ddigon barus . . .*

Yn sydyn, cododd Penri i'r awyr a rhoi un "Crawc!" uchel. Dyma'r arwydd roedd Cadi wedi bod yn aros amdano – roedd y wenci i mewn yn y cwt!

Sleifiodd y criw yn dawel at y cwt ieir, a sefyll o gwmpas y twll lle byddai'r wenci'n dod allan. Roedd pawb yn benderfynol na fyddai'n cael cyfle i ddianc y tro hwn!

O'r tu mewn i'r cwt ieir daeth sŵn siffrwd a chrafu, ac yn sydyn rholiodd wy mawr brown drwy'r twll. Yn syth wedyn, gwasgodd y wenci ar ei ôl gan roi ei phawennau blaen ar yr wy, yn barod i'w rolio oddi yno.

"O, na!" ebychodd y wenci, wrth weld y criw'n aros amdani. Ceisiodd sleifio'n ôl i'r cwt ieir, ond roedd Ffydd yn rhy gyflym iddi. Gwthiodd ei phig drwy'r twll, a brathu trwyn y wenci.

"AWW!" sgrechiodd y wenci. "Doedd dim angen hynna. Dwi wedi cael llond bol arnoch chi'n achosi cymaint o drafferth i mi!"

"Pam na wnei di roi'r gorau i ddwyn, 'te?" holodd Cadi. "Does neb yn hoffi lladron."

"Yn enwedig pan maen nhw'n dwyn bwyd," ychwanegodd Bynsen.

"O, ry'ch chi mor ddiflas," ochneidiodd y wenci. "Does dim byd o'i le ar ddwyn."

"Wyt ti'n siŵr o hynny?" gofynnodd Cadi, gan godi'i llaw ar y bioden oedd yn hedfan uwch eu pennau.

Gwelodd y bioden yr arwydd, a phlymiodd i lawr o'r awyr. Agorodd ei phig led y pen, a chipio'r wy oedd rhwng pawennau blaen y wenci.

"Hei!" gwaeddodd y wenci, gan syrthio'n fflat ar ei thrwyn poenus. "Dere'n ôl, y lleidr digywilydd! *Fi* biau'r wy 'na!"

"Dyna ryfedd," meddai Siani gan wenu. "Rwyt ti newydd ddweud bod dim byd o'i le ar ddwyn."

Wel, nac oes, os taw fi sy'n ei wneud e. Peth gwahanol yw cael rhywun yn dwyn oddi arna i . . ."

"Felly," meddai Hadog, "sut wyt ti'n meddwl mae pobl eraill yn teimlo pan

wyt ti'n dwyn oddi arnyn nhw?"

Camodd y wenci'n ôl, ac wrth wneud gwthiodd ei ben-ôl yn erbyn pig Ffydd. "AWW!" gwaeddodd eto. Yna, mewn llais bach, meddai, "Mae'n siŵr eu bod nhw'n teimlo'n drist iawn."

"Mae'n rhaid bod dy fam wedi anghofio sôn am hynna," meddai Cadi.

"Do, ond fe fydda i'n siŵr o ddweud wrth fy mhlant fy hun pan fydda i'n fam," addawodd y wenci.

"Beth wyt ti'n bwriadu'i wneud nawr?" holodd Penri.

Edrychodd y wenci ar bob un o'r criw yn eu

tro. "Wel," meddai'n bendant, "y peth cynta fydd symud yn ddigon pell oddi wrthoch chi i gyd. Ond peidiwch â phoeni – wna i ddim dwyn wyau byth eto."

"Dwi'n falch o glywed hynna," meddai Cadi gan wenu. Symudodd Cadi i un ochr er mwyn gadael i'r wenci ddianc, a'i gwylio wrth iddi redeg fel y gwynt cyn belled ag y gallai oddi wrth y criw.

Yn sydyn, daeth sŵn crawcian o'r awyr. Agorodd y bioden ei phig gan feddwl dweud, "Da iawn ti, Cadi – roedd dy gynllun di'n grêt!" Ond, wrth iddi wneud hynny, cwympodd yr wy o'i phig gan lanio ar do'r cwt ieir a rholio tua'r llawr.

"O na!" llefodd Gobaith. "Ddim eto!

Am wastraff o wy mawr braf arall!"

Llamodd Cadi yn ei blaen, a llwyddo
i ddal yr wy cyn iddo gwympo oddi ar y
to. "Dyw e ddim gwaeth," meddai gan
ddal yr wy'n uchel i bawb gael ei weld.

"Diolch byth!" ochneidiodd y criw – wel, pawb heblaw Bynsen. "Dwi'n siŵr fod blas da arno fe," meddai'n siomedig.

"Diolch, diolch, diolch!" clwciodd y tair iâr wrth i Cadi roi'r wy'n ôl yn y nyth yn ofalus.

"Hwyl fawr, bawb!" meddai Cadi. "Diolch i chi i gyd am eich help."

A cherddodd Cadi'n ôl i Caffi Cynnes, gyda gwên lydan ar ei hwyneb a modrwy Mam a broets Magi Tomos yn saff yn ei phoced.

Roedd Mam wrth ei bodd. "Ble yn y byd oedd hi?" llefodd, gan roi clamp o gwtsh i Cadi.

"O, jest y tu allan i'r ffenest," atebodd hithau, braidd yn ffwrdd-â-hi. Doedd hi ddim am i Mam holi gormod!

"Rhaid i mi fynd i'r Caffi ar unwaith i'w dangos hi i Dad a Bopa Gwen," meddai Mam gan anelu at y drws.

Ar ôl i'r ysgol gau y pnawn wedyn,

aeth Cadi i'r cei i gwrdd â'r cwch oedd yn dod â Magi Tomos a Barti'n ôl o'r briodas. Cafodd groeso cynnes gan y ddau, gyda Barti'n neidio o'i chwmpas a chyfarth yn gyffrous.

"Sut benwythnos gest ti, Cadi fach?" holodd Magi Tomos. "Rwyt ti wedi bod yn brysur, dwi'n siŵr, yn gofalu am yr anifeiliaid."

"Do, wir," cytunodd Cadi gan estyn ei llaw, "ac mae gen i rywbeth arbennig i'w roi i chi!"

Roedd dagrau yn llygaid yr hen wraig wrth i Cadi ddangos y froets iddi. "O diolch, diolch!" llefodd. "Rhaid mod i wedi'i gollwng ar lawr wrth frysio i bacio."

Wnaeth Cadi mo'i chywiro, dim ond ei helpu i roi ei chês a'i bag llaw i

mewn yn y tacsi fyddai'n mynd â nhw'n
ôl i'r bwthyn.

"Gwell i ni fynd yn syth i'r cwt ieir i
ddweud helô wrth Ffydd, Gobaith a
Cariad," meddai Magi
Tomos. Ac yno,
cafodd yr hen wraig
syrpréis arall – yn
swatio'n glyd yng
nghanol y gwellt
cynnes roedd pedwar wy
mawr, brown, hyfryd, a'r ieir yn
clochdar yn hapus!

"Cadi fach, rwyt ti wedi gwneud
gwyrthiau!" llefodd. "Sut yn y byd
wnest ti berswadio'r tair yma i ddodwy
eto?"

Gwenodd Cadi, ond heb ddweud
gair. Roedd rhai pethau – yn union fel y

mwclis arbennig roddodd Bopa Gwen
iddi – yn gorfod aros yn gyfrinach.

Dwy gyfrol gyntaf cyfres

Cadi Wyn

Cadi Wyn a'r Mwclis Hud

Antur gyda'r ferch
sy'n deall iaith anifeiliaid

Diana Kimpton
Addasiad Eleri Huws

Cadi Wyn a'r Llygoden Gerddorol

Antur gyda'r ferch sy'n deall iaith anifeiliaid

Diana Kimpton

Addasiad Eleri Huws

Cyfres antur am fyd natur:
AchubAnifail

J. BURCHETT & S. VOGLER

ACHUB
ANIFAIL
TARGED TEIGR

J. BURCHETT & S. VOGLER   ADDASIAD: SIÂN LEWIS

ACHUB
ANIFAIL
ERLID ELIFFANT